TestDaF
Test Deutsch als Fremdsprache

Musterprüfung 4

herausgegeben vom TestDaF-Institut

Hueber Verlag

Quellenverzeichnis

Seite 14:   „Wie und warum entstand unsere Sprachfähigkeit?" Nach: Rüdiger Vaas:
             „Sprechen macht stark", in: Bild der Wissenschaft, 06.02.2001

Seite 16:   „Energieversorgung" Nach: Gideon Heimann: „Es ist alles eine Frage der
             Energie", in: Der Tagesspiegel, Berlin, 08.11.01/Nr.17582, Dossier Umwelt &
             Energie, S. B1

Seite 37:   Mehr Frauen in die Ingenieurwissenschaften? Statistisches Bundesamt,
             Wiesbaden, selbst erstellte Graphik nach Datenwerten des Statistischen
             Bundesamtes

Seite 46:   Nahrungsmittelkonsum früher und heute in Deutschland
             Nach: Globus Infografik 2005

Seite 52:   Autoland Deutschland Quelle: Deutsches Institut für Wirtschaftsforschung
             DIW Berlin, 2006

Seite 64:   „Geografie-Studium und dann?" UNI-Magazin, Bundesagentur für Arbeit,
             Nürnberg 5/2002, S.11-15

Seite 66:   „Neue Formen der Industriearbeit und ihre Folgen" Nach: SWR 2 Aula,
             1.5.2001, Prof. Michael Schumann „Ausgrenzung statt Solidarität? Neue
             Formen der Industriearbeit und ihre Folgen."

| 3.   2.   1. | Die letzten Ziffern |
| 2013 12 11 10 09 | bezeichnen Zahl und Jahr des Druckes. |

Alle Drucke dieser Auflage können, da unverändert,
nebeneinander benutzt werden.
1. Auflage
© 2009 Hueber Verlag, 85737 Ismaning, Deutschland
Layout: raphael weber, Recklinghausen
Umschlagfotos: Studenten beim Lernen: © Getty Images / Image Source
             Studenten im Hof: © PhotoDisc
Druck und Bindung: Ludwig Auer GmbH, Donauwörth
Printed in Germany
ISBN 978–3–19–171699–8

Die „Musterprüfung 4" setzt die Reihe der veröffentlichten Originalaufgaben des Tests Deutsch als Fremdsprache – kurz: TestDaF – fort. Alle Aufgaben, die in diese Ausgabe aufgenommen wurden, sind erprobt und in ihrer Qualität überprüft. Sie wurden bereits in früheren Prüfungen eingesetzt.

Mit einem erfolgreich bestandenen TestDaF fängt das Studium in Deutschland an. Eine gute Vorbereitung, eine gute Beherrschung der deutschen Sprache ist der erste Schritt zu einem Studienplatz.

Das Heft beinhaltet die Aufgaben zu den vier Prüfungsteilen des TestDaF:

- Leseverstehen
- Hörverstehen
- Schriftlicher Ausdruck
- Mündlicher Ausdruck

Die Audio-CD enthält die Aufnahmen für die drei Aufgaben des Prüfungsteils Hörverstehen und die sieben Aufgaben des Prüfungsteils Mündlicher Ausdruck. Der Anhang besteht aus den Transkriptionen der gesprochenen Texte der CD sowie den Lösungen der beiden rezeptiven Prüfungsteile Lese- und Hörverstehen.

Die Aufgaben der Musterprüfungen vermitteln Ihnen eine genaue Kenntnis des Testformats. Diese Vorbereitung gibt Ihnen Sicherheit für die Prüfung. Der Erfolg beim TestDaF hängt jedoch vor allem davon ab, ob Ihre Fähigkeiten in der deutschen Sprache schon „studiertauglich", also auf den Niveaustufen B2 und C1 des Gemeinsamen europäischen Referenzrahmens für Sprachen sind.

Ergänzende Vorbereitungsmöglichkeiten für den TestDaF sind auf der Internetseite des TestDaF-Instituts zusammengestellt:

- Das TestDaF-Institut hat für alle, die sich im Selbststudium vorbereiten, auf www.testdaf.de „Hinweise und Tipps" zusammengestellt.
- Die Deutsch-Uni Online bietet Ihnen – auch in Verbindung mit „Schritte international" aus dem Hueber-Verlag – umfangreiche Online-Vorbereitungskurse auf das Studium in Deutschland an, bei denen Sie zusätzlich von geschulten Tutoren beraten und beim Lernen unterstützt werden: www.deutsch-uni.com.
- Zu den Online-Kursen finden Sie im Programm des Hueber-Verlags „Fit für den TestDaF", eine Gemeinschaftsproduktion der Ludwig-Maximilians-Universität München, des Goethe-Instituts und des TestDaF-Instituts.
- An vielen Testzentren können Sie Vorbereitungs- oder Trainingskurse besuchen, wenn Sie Ihr Deutsch noch verbessern müssen oder den TestDaF genauer kennenlernen wollen.
- Weltweit können Sie sich an DAAD-Lektoraten beraten lassen und sich an vielen Goethe-Instituten auf den TestDaF vorbereiten. DAAD und Goethe-Institut gehören zusammen mit der Hochschulrektorenkonferenz und mehreren Hochschulen zu den Trägern des TestDaF-Instituts.
- Testaufgaben lassen sich ebenfalls bei www.godaf.de bestellen.
- Wer im Tandem mit Muttersprachlern lernen möchte, kann sich darüber auf der Webseite www.slf.ruhr-uni-bochum.de/help/exams/td-de.html informieren.

Ausführliche Informationen zum TestDaF, zur Anmeldung, zum Ablauf der Prüfung und zu den Prüfungsregeln sind für Sie auf der Internetseite www.testdaf.de zusammengestellt. Persönliche Beratung erhalten Sie in einem unserer Testzentren.

Das TestDaF-Institut wünscht Ihnen viel Erfolg.

Dr. Hans-Joachim Althaus
Leiter des TestDaF-Instituts

Bitte lesen Sie diese Informationen zur Prüfung TestDaF

Liebe Teilnehmerin, lieber Teilnehmer,

Sie haben sich entschieden, den TestDaF abzulegen. Ziel dieser Prüfung ist es, Ihren sprachlichen Leistungsstand für ein Studium an einer Hochschule in Deutschland einzustufen.

Die Prüfung besteht aus vier Teilen:

1. Leseverstehen	Sie bearbeiten 3 Lesetexte mit 30 Aufgaben. Bearbeitungszeit: 60 Minuten (inkl. 10 Minuten Übertragungszeit)
2. Hörverstehen	Sie bearbeiten 3 Hörtexte mit 25 Aufgaben. Bearbeitungszeit: 40 Minuten (inkl. 10 Minuten Übertragungszeit)
3. Schriftlicher Ausdruck	Sie schreiben einen Text zu einem bestimmten Thema. Bearbeitungszeit: 60 Minuten
4. Mündlicher Ausdruck	Sie bearbeiten 7 Aufgaben, d. h. Sie sprechen in 7 verschiedenen Situationen. Bearbeitungszeit: ca. 35 Minuten (inkl. Anleitung)

Bitte verwenden Sie bei der Bearbeitung der Aufgaben einen **schwarzen oder blauen Kugelschreiber**.

Zu den Prüfungsteilen „Leseverstehen" und „Hörverstehen" erhalten Sie jeweils ein Antwortblatt. Am Ende der Prüfungsteile „Leseverstehen" und „Hörverstehen" haben Sie jeweils 10 Minuten Zeit, um Ihre Antworten auf die Antwortblätter zu übertragen. **Nur Lösungen auf den Antwortblättern werden gewertet.**

Bleiben Sie nicht zu lange bei einer Aufgabe, die Sie nicht lösen können.

Wir wünschen Ihnen viel Erfolg!

Leseverstehen

Musterprüfung 4

Zeit: 60 Minuten
Inklusive 10 Minuten für die Übertragung der Lösungen

Zum Prüfungsteil „Leseverstehen" erhalten Sie ein **Antwortblatt**.

Am Ende des Prüfungsteils haben Sie 10 Minuten Zeit, um Ihre Lösungen auf das
Antwortblatt zu übertragen.

Nur Lösungen auf dem Antwortblatt werden gewertet.

Achten Sie bitte darauf, das Antwortblatt korrekt auszufüllen. Hierzu finden Sie genaue Anweisungen auf dem
Antwortblatt.

Seite 4	Musterprüfung 4	Leseverstehen	
	Lesetext 1: Aufgaben 1–10	ca. 10 Min.	

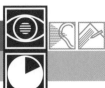

Praktika für Studierende

Sie suchen für Ihre Mitstudierenden ein passendes Praktikum. Schreiben Sie den Buchstaben für das am ehesten passende Praktikum in das Kästchen rechts. Jedes Praktikum kann nur einmal gewählt werden. Es gibt nicht für jede Person ein geeignetes Praktikum. Gibt es für eine Person kein Praktikum, schreiben Sie den Buchstaben *I*. Der Text aus dem Beispiel kann nicht mehr gewählt werden.

Sie suchen ein Praktikum für ...

(01)	... eine Studentin, die sich für Umfrage- und Interviewtechniken interessiert.		*A*	(01)
(02)	... einen Studenten, der in der Produktwerbung ein Praktikum machen möchte.		*I*	(02)
1	... einen Mitstudenten, der großes Talent im Organisieren hat.			1
2	... einen Ökologiestudenten, der bei der Lösung von Umweltproblemen mitmachen will.			2
3	... eine Studentin, die das Sozialverhalten von Jugendlichen erforschen will.			3
4	... einen Studenten, der sich für die Akzeptanz öffentlicher Verkehrsmittel interessiert.			4
5	... eine Jurastudentin, die sich für die Einhaltung von Umweltschutzgesetzen interessiert.			5
6	... eine Studentin, die sich für die Verbreitung und Akzeptanz von Medien interessiert.			6
7	... einen Studenten, der sich für die Geschichte des Bankwesens in Deutschland interessiert.			7
8	... einen Jurastudenten, der sich für das Medienrecht in Europa interessiert.			8
9	... einen Studenten der Wirtschaftswissenschaften, der Berufserfahrungen in einer Bank machen möchte.			9
10	... eine Studentin, die Informationen über umweltschonende Transportsysteme zusammentragen möchte.			10

Praktika für Studierende

A

Das Institut für Marketing und Produktforschung sucht für den Bereich Marktforschung drei PraktikantInnen für mindestens zwei Monate. Die Aufgabe besteht darin, das Konsumverhalten in verschiedenen Altersgruppen durch gezielte Kundenbefragung zu erforschen. Das Praktikum umfasst auch die Auswertung der Ergebnisse. Freundliches Auftreten ist Voraussetzung.

B

Finanzdienstleistung hat Zukunft. Die *Praktikumsbörse „Marktplatz"* bringt Studierende und Unternehmen aus dem Bereich Finanzdienstleistung zusammen. Wer im Rahmen seines Wirtschaftsstudiums ein Praktikum machen muss und sich dabei auf Finanz- und Bankwesen spezialisieren möchte, sollte sich mit uns in Verbindung setzen. Wir beraten Sie kostenlos.

C

Das *Institut für Klima, Umwelt und Energie* sucht für drei Monate einen Praktikanten oder eine Praktikantin zur Unterstützung bei der Organisation einer internationalen Konferenz mit dem Thema „Freizeitverkehr und Freizeitverhalten – Tourismuskonzepte der Zukunft". Die Bewerberin bzw. der Bewerber sollte kommunikativ sein und auch in Stresssituationen nicht die gute Laune verlieren.

D

Das *Institut für Klima, Umwelt und Energie* erarbeitet im Rahmen eines Forschungsprojekts umweltverträgliche Verkehrssysteme. Zur Unterstützung werden interessierte Studierende gesucht, die Literatur und Daten in diesem Bereich sammeln und auswerten.

E

Das *Institut Politik für Europa* sucht dringend PraktikantInnen aus den Bereichen Wirtschafts-, Politik- oder Umweltwissenschaften. Die PraktikantInnen arbeiten bei Forschungsprojekten mit, die Maßnahmen zur Beseitigung von Umweltschäden untersuchen. Ziel ist es, offizielle Institutionen wie z. B. Ministerien bei politischen Entscheidungen und bei der Gesetzgebung zu unterstützen. Gute Englisch- und Französischkenntnisse sind Voraussetzung.

F

Wie zufrieden sind die Fahrgäste mit Bus und Bahn? Dieser Frage geht das *Socialdata Institut für Verkehrs- und Infrastrukturforschung* nach. Zur Unterstützung bei der Befragung von Fahrgästen wird eine Praktikantin oder ein Praktikant für zwei Monate gesucht. Interessierte sollten das Grundstudium beendet haben und freundlich sowie kontaktfreudig sein.

G

Die *Gesellschaft für Marketing und Medienforschung* bietet Studierenden unterschiedlicher Fachrichtungen 3- bis 6-monatige Praktika. Die Aufgabe besteht darin, Daten zur Nutzung von Medien bei Jugendlichen zu erheben und auszuwerten. Im Zentrum steht hierbei die Frage, wie die Jugendlichen die Qualität unterschiedlicher Medien einschätzen.

H

Die *Europäische Informations- und Verlagsgesellschaft* sucht Studierende der Rechtswissenschaften für ein sechsmonatiges Praktikum zur Mitarbeit bei einem Projekt. Ziel ist es zu dokumentieren, ob und wie genau die Chemieindustrie in Europa den europäischen Richtlinien zum Umweltschutz Folge leistet. Die Tätigkeit besteht vor allem in der Auswertung von Informationen. Voraussetzung: Englisch- und Französischkenntnisse.

Lesen Sie den Text und lösen Sie die Aufgaben.

Wie und warum entstand unsere Sprachfähigkeit?

Die Frage nach der Entstehung der menschlichen Sprachfähigkeit, nach Ursprung und Evolution der Sprache war Thema einer interdisziplinären Konferenz, an der Wissenschaftler aus aller Welt teilnahmen.

Noam Chomsky, der am Massachusetts Institute of Technology lehrende „Papst" der modernen Linguistik, ging davon aus, dass jeder Mensch eine Art angeborene Universalgrammatik im Kopf hat, von der die Einzelsprachen nur Varianten sind. Aufbauend hierauf unterscheidet man zwischen sogenannten Protosprachen und echten Sprachen. Erstere sind weitgehend frei von spezifischen Verknüpfungen sprachlicher Einheiten zu Sätzen. Eine Ausprägung solcher Protosprachen sieht er beispielsweise im Plappern von Kleinkindern oder in den Kommunikationsweisen von Menschen, die eine Sprachstörung haben.

Doch wie sind aus den primitiven Protosprachen die syntaktisch ausgefeilten Sprachen entstanden? Wie kam die Universalgrammatik ins menschliche Gehirn? Im Verlauf der Evolution hatte sich das Gehirn des Menschen so entwickelt, dass es kurze, rasch verschwindende und undeutliche Signale verarbeiten konnte. Um eine komplex gegliederte Sprache zu entwickeln, mussten Informationen jedoch intensiver verarbeitet werden können. D. h. zusammenhängende, klare Signale mussten relativ lange zur Verfügung stehen. Diese längere Informationsverarbeitung wurde vermutlich dadurch ermöglicht, dass die Hirnmasse zunahm. Damit konnte das Gehirn mehr Informationen verarbeiten. Außerdem stand mehr Zeit für diese Informationsverarbeitung zur Verfügung. Dadurch dass die Reize eine gewisse Zeit relativ unverändert im Gehirn verblieben, entstanden schließlich auch bewusste Zustände.

Diese physiologische Entwicklung war wahrscheinlich die Voraussetzung dafür, dass die sprachliche Entwicklung über die Protosprachen hinausging. Aber welches Motiv hatte der Mensch, seine sprachlichen Fähigkeiten intelligent auszubauen? Viele Wissenschaftler sind überzeugt, dass dieser Intelligenzsprung vor allem durch soziale Faktoren verursacht wurde. Je größer und komplexer eine Gruppe von Individuen ist, die eng miteinander kooperieren, desto mehr Energie ist für Gedächtnis, Handlungsplanung und Bündnispolitik nötig. Worte spielten vor allem dort eine Rolle, wo sie einem selbst kaum Nachteile brachten, wo Kooperation über Konkurrenz dominierte. Und das war hauptsächlich dann der Fall, wenn es darum ging, unter schwierigen Lebensbedingungen die Nahrungssuche zu organisieren oder sich gegenseitig zu warnen, so nimmt man an.

Hier kommt ein weiterer entscheidender Nutzen der Sprachfähigkeit ins Spiel, nämlich die Kategorisierung. Um dies an einem Beispiel zu erläutern: Ein Lebewesen, das sich von Pilzen ernährt, erfährt am eigenen Leib den Unterschied zwischen essbaren und ungenießbaren Pilzen. Anhand äußerer Merkmale kann es lernen, die beiden Pilz-Kategorien auseinander zu halten. Das Individuum lernt: Im Gegensatz zu einem nicht nur schmackhaften und ungefährlichen braunen Birkenpilz ist ein roter Fliegenpilz giftig und daher gefährlich. Dieser mitunter gefährliche Wissenserwerb lässt sich durch verbale Hinweise wesentlich beschleunigen. Und Wissen kann so weitergegeben werden – wichtig für das Überleben der Gruppe. Wenn die Individuen in der Lage sind, einander die Eigenschaften der essbaren und ungenießbaren Pilze zu beschreiben, in Verbindung mit dem Zeigen einiger Beispiele, können sie sich und den anderen eine Menge Schwierigkeiten ersparen. Ähnlich nützlich sind Warnungen wie „heiß!" für Feuer oder „tief!" für Flüsse. Dieses Lernen vom Hörensagen, ersetzt zwar nicht das Prinzip von Versuch und Irrtum, ergänzt es aber ganz wesentlich.

Das Fazit: Der Ursprung der Sprache hängt zusammen mit der Entstehung der Fähigkeit, Kategorien mit sprachlichen Symbolen zu bezeichnen und mit diesen Symbolen Aussagen über die Welt zu machen. Freilich können diese Aussagen wahr, aber auch falsch sein!

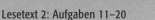
Markieren Sie die richtige Antwort (A, B oder C).

(0) Worum ging es bei dem Expertentreffen?

Lösung A

A Um Herkunft und Entwicklung der menschlichen Sprache.

B Um interdisziplinäre Forschung zur Sprache.

C Um Sprache im internationalen und historischen Vergleich.

11. Was ist eine Protosprache?

A Eine Sprache, die kaum Satzstrukturen enthält.

B Eine Sprache, die logische sprachliche Einheiten aufweist.

C Eine Sprache, die nur von Kindern gesprochen wird.

12. Was war die Folge der Veränderungen im Gehirn?

A Einzelheiten konnten immer schneller wahrgenommen werden.

B Informationen konnten miteinander verknüpft werden.

C Mehr Wahrnehmungen konnten verarbeitet werden.

13. Was waren die Voraussetzungen für die Entwicklung der Sprache?

A Die Universalgrammatik musste im Gehirn entstehen.

B Informationen mussten länger im Gehirn verbleiben.

C Klare Signale mussten im Gehirn gleichzeitig verarbeitet werden.

14. Welcher Zusammenhang besteht zwischen Gesellschaft und Sprachentwicklung?

A Je größer die Gruppe, desto besser war das kollektive Gedächtnis.

B Je größer die Gruppe, desto mehr Energie wurde für die Informationsverarbeitung frei.

C Je größer die Gruppe, desto notwendiger wurde die Koordination.

15. In welcher Situation wurde Sprache wichtig?

A Als ein Individuum über die Gruppe dominierte.

B Als soziale Konkurrenz unter den einzelnen Individuen herrschte.

C Als die Zusammenarbeit mehr Vorteile brachte als Rivalität.

16. Wie lernte man, bevor man differenzierte sprachliche Mittel hatte?

A Die Menschen lernten durch Ausprobieren.

B Die Menschen lernten mit Symbolen.

C Die Menschen lernten vom Hörensagen.

17. Wie wirkte sich Sprache beim Erwerb von Wissen aus?

A Mit sprachlichen Mitteln wurde der Wissenserwerb individualisiert.

B Mit sprachlichen Mitteln wurde der Wissenserwerb schneller.

C Mit sprachlichen Mitteln wurde der Wissenserwerb weniger anstrengend.

18. Welche Konsequenzen hatte die Sprachfähigkeit für die Gemeinschaft?

A Durch Sprache entwickelte sich ein Gefühl der Verbundenheit innerhalb der Gruppe.

B Durch Sprache konnten Erfahrungen vermittelt werden.

C Durch Sprache konnten Schwierigkeiten zwischen den Individuen besser gelöst werden.

19. Womit hängt die Sprachentwicklung zusammen?

A Mit der Fähigkeit, aus Versuch und Irrtum zu lernen.

B Mit der Fähigkeit, Kategorien zu benennen.

C Mit der Fähigkeit, über die Welt wahre oder falsche Aussagen zu machen.

20. Wie könnte die Überschrift des Textes auch lauten?

A Protosprachen und ihre Bedeutung für die menschliche Sprachfähigkeit.

B Über Entwicklung und Nutzen der Sprache.

C Über die Vor- und Nachteile der menschlichen Sprachfähigkeit.

Lesen Sie den Text und lösen Sie die Aufgaben.

Energieversorgung

Ohne Energie gibt es keine zivilisatorische Entwicklung, denn Energie stellt die Grundlage unseres Alltags dar. Mit ihrer Hilfe lassen sich Nahrungsmittel anbauen. Mittels Energie wird Wasser aufbereitet, zum Beispiel entsalzt oder gereinigt. Ob es um Produktionsmittel in der Industrie, um Treibstoff beim Transport im Verkehr oder um den Komfort im Haus geht – überall ist Energie in welcher Form auch immer das zentrale Antriebsmoment. Eine gesicherte und darüber hinaus erschwingliche Energieversorgung bildet daher nicht nur die Basis für individuelles Wohlbefinden, sondern ist sogar eine der wichtigsten Säulen eines funktionierenden Staatswesens.

Aber auf welche Weise kann in Zukunft die Energieversorgung sichergestellt werden? In einem Punkt sind sich viele Experten einig: Wenn sich die Versorgung mit Energie wie in den vergangenen Jahrhunderten auch in Zukunft auf die Verbrennung fossiler Energieträger wie Kohle, Gas und Öl stützt, könnte es in den nächsten 100 Jahren zu unumkehrbaren Folgen für das Klima kommen. Klimaforscher warnen deshalb schon seit Jahren vor den unbegrenzten Emissionen des Verbrennungsgases Kohlendioxid (CO_2) sowie vor anderen klimaschädlichen Gasen wie Methan. Die CO_2-Konzentration in der Atmosphäre werde den Modellversuchen zufolge sogar noch zunehmen, selbst wenn der Ausstoß auf der Erde spürbar gedrosselt werden sollte. Eine Reduktion der Emissionen sei also dringend geboten.

Vor diesem Hintergrund muss dringend über die Energieversorgung und die Intensität der Energienutzung nachgedacht werden. Hinzu kommt, dass die Vorräte, die die Natur in Jahrmillionen angelegt hat, nicht unbegrenzt sind. So reichen z. B. in Deutschland die Steinkohlevorräte Schätzungen zufolge noch etwa 150 Jahre, die Braunkohle sogar noch zirka 500 Jahre. Doch nehmen diese fossilen Brennstoffe wegen der aufwändigen Abgasreinigung an der gesamten Versorgung Deutschlands nur noch rund ein Viertel ein. Die bisher bekannten Vorkommen an Erdöl reichen aktuellen Schätzungen zufolge nur noch knapp 50 Jahre. Ähnlich sieht es beim Erdgas aus. Bei gleichbleibender Förderung sollen die Erdgasvorräte etwas länger halten als die Ölreserven. Allerdings ist gerade Erdgas wegen seiner sauberen Verbrennung und seines hohen Wasserstoffanteils be-

sonders interessant. Die Nutzung ist aus diesem Grund stark gestiegen und es könnten neue Anwendungsgebiete hinzu kommen.

Als weiteres wichtiges Standbein der Energieversorgung dient derzeit noch die Atomkraft. Wegen der Strahlungsrisiken der Kernspaltung und ihrer Abfallprodukte wird über diese Art der Energieerzeugung kontrovers diskutiert. Frankreich deckt allerdings mit Hilfe von Atomkraftwerken seinen Strombedarf zu fast 80 Prozent, Deutschland immerhin noch zu gut 30 Prozent. Die deutsche Stromwirtschaft zeigt inzwischen aber kaum noch Interesse an Plänen, die über den Weiterbetrieb der bestehenden Anlagen hinausgehen. Große Hoffnungen werden dagegen in die Forschung im Bereich der Kernfusion gesetzt. Hier werden allerdings noch Jahrzehnte vergehen, bis die bei einer Verschmelzung von Atomkernen entstehende Hitze zur Energiegewinnung genutzt werden kann.

Aus den genannten Gründen zeigt sich ein Trend hin zur Nutzung regenerativer Energiequellen. Dabei wird in den einzelnen Ländern in Europa je nach regionalen Bedingungen in unterschiedlich Technologien investiert, um möglichst viel Energie aus erneuerbaren Quellen zu gewinnen. Deutschland erweist sich dabei als geeigneter Standort für Wasserkraft und Windenergie. In Großbritannien hat man begonnen, die Meeresströmungen auszunutzen. Spanien ist für die Nutzung der Solarenergie geeignet, weil dort die Sonneneinstrahlung stark genug ist und lange anhält. Andernorts wird an geothermischen Verfahren gearbeitet.

Wie werden wir uns in Zukunft mit Energie versorgen? Der Weg in neue Versorgungsstrukturen ist frei, die technischen Möglichkeiten zur Nutzung erneuerbarer Energien existieren und werden weiterentwickelt. Nun liegt es an den politisch Verantwortlichen, entsprechende Entscheidungen zu treffen. Vermutlich wird aber gewartet, bis die fossilen Energieträger unbezahlbar geworden sind und die Alternativen rentabel werden. Für das Klima und somit für alle Lebewesen auf der Erde wäre es hingegen von Vorteil, wenn die Nutzung der regenerativen Energiequellen schon jetzt konsequent vorangetrieben würde.

Markieren Sie die richtige Antwort.

		Ja	Nein	Text sagt dazu nichts	
(01)	Für die Wasserentsalzung wird noch zu viel Energie verbraucht.			X	(01)
(02)	Der Staat muss dafür sorgen, dass die Energiekosten bezahlbar bleiben.	X			(02)
21	In den vergangenen Jahrhunderten hat man mehr Energie produziert als erforderlich war.				21
22	Die Klimaforscher fordern, den Ausstoß bestimmter Gase zu begrenzen.				22
23	Kohle ist aus Pflanzen entstandener Brennstoff.				23
24	In Deutschland wird inzwischen weniger Kohle genutzt.				24
25	Die Nutzung von Erdgas wurde schrittweise reduziert.				25
26	Wegen des Strahlungsrisikos protestieren große Teile der Bevölkerung gegen die Atomkraft.				26
27	In Frankreich wird Strom vor allem von Atomkraftwerken geliefert.				27
28	Heute bereits ist es möglich, die Kernfusion für die Energieerzeugung zu nutzen.				28
29	Erneuerbare Energien werden in Europa immer mehr genutzt.				29
30	Der Autor geht davon aus, dass die Energieversorgung nur noch kurze Zeit gesichert ist.				30

Übertragen Sie jetzt Ihre Lösungen auf das Antwortblatt.

Sie haben **10 Minuten Zeit**, um Ihre Lösungen auf das Antwortblatt zu übertragen.

Das Etikett rechts aufkleben ⟶

Etikett

Bitte markieren Sie die richtige Antwort mit einem **– schwarzen oder blauen –** Kugelschreiber!

Markieren Sie so: ⊠   **NICHT** SO: ⤬☐ ⊠ ☒ ☑ ⊡

Wenn Sie **korrigieren** möchten, füllen Sie das falsch markierte Feld ganz aus: ∎ und markieren dann das richtige Feld: ⊠

Lösungen Lesetext 1

	B	C	D	E	F	G	H	I
1	☐	☐	☐	☐	☐	☐	☐	☐
2	☐	☐	☐	☐	☐	☐	☐	☐
3	☐	☐	☐	☐	☐	☐	☐	☐
4	☐	☐	☐	☐	☐	☐	☐	☐
5	☐	☐	☐	☐	☐	☐	☐	☐
6	☐	☐	☐	☐	☐	☐	☐	☐
7	☐	☐	☐	☐	☐	☐	☐	☐
8	☐	☐	☐	☐	☐	☐	☐	☐
9	☐	☐	☐	☐	☐	☐	☐	☐
10	☐	☐	☐	☐	☐	☐	☐	☐

Lösungen Lesetext 2

	A	B	C
11	☐	☐	☐
12	☐	☐	☐
13	☐	☐	☐
14	☐	☐	☐
15	☐	☐	☐
16	☐	☐	☐
17	☐	☐	☐
18	☐	☐	☐
19	☐	☐	☐
20	☐	☐	☐

Lösungen Lesetext 3

	Ja	Nein	Text sagt dazu nichts
21	☐	☐	☐
22	☐	☐	☐
23	☐	☐	☐
24	☐	☐	☐
25	☐	☐	☐
26	☐	☐	☐
27	☐	☐	☐
28	☐	☐	☐
29	☐	☐	☐
30	☐	☐	☐

TestDaF
Test Deutsch als Fremdsprache

Hörverstehen

Musterprüfung 4

Zeit: 40 Minuten
Inklusive 10 Minuten für die Übertragung der Lösungen

Kein Material auf dieser Seite

Sie hören insgesamt drei Texte.

Die Texte 1 und 2 hören Sie einmal, den Text 3 hören Sie zweimal.

Schreiben Sie Ihre Lösungen zunächst hinter die Aufgaben.

Am Ende des Prüfungsteils „Hörverstehen" haben Sie 10 Minuten Zeit, um Ihre Lösungen auf das
Antwortblatt zu übertragen.

Sie sind in der Mensa und hören ein Gespräch zwischen zwei Studierenden.
Sie hören dieses Gespräch **einmal**.

Lesen Sie jetzt die Aufgaben 1–8.

Hören Sie nun den Text. Schreiben Sie beim Hören die Antworten auf die Fragen 1–8.
Notieren Sie Stichwörter.

Das Stipendium

(0)	Wonach fragt Klaus seine Bekannte?	(0)	*(nach ihrem) Stipendium*
1	Wer gibt das Geld für die Stipendien der Fachhochschule?	1	
2	Was gefällt Kerstin an ihrem Praktikum? **Nennen Sie einen Punkt.**	2	
3	Wer hilft Kerstin während des Praktikums? **Nennen Sie eine Möglichkeit.**	3	
4	Was muss Kerstin machen, wenn sie ihr Studium beendet?	4	
5	Welche Voraussetzungen müssen die Stipendiaten haben? **Nennen Sie eine.**	5	
6	Wer hat Kerstin bei der Bewerbung für das Stipendium unterstützt?	6	
7	Wie viel Prozent der Bewerber erhalten ein Stipendium?	7	
8	Wie lange erhält Kerstin Geld?	8	

Kein Material auf dieser Seite

Sie hören ein Interview mit vier Gesprächsteilnehmern über Berufsaussichten von Geografen.
Sie hören dieses Interview **einmal**.

Lesen Sie jetzt die Aufgaben 9–18.

Hören Sie nun den Text.
Entscheiden Sie beim Hören, welche Aussagen richtig oder falsch sind.
Markieren Sie die passende Antwort.

Geografie-Studium und dann?

		Richtig	Falsch	
(0)	Geografen haben bei der Arbeitssuche Konkurrenz von Studienabgängern anderer Fachrichtungen.	X		(0)
9	Frau Müller meint, dass Geografen in Schulbuchverlagen neue Tätigkeitsfelder finden.			9
10	Laut Frau Müller braucht man verstärkt Geografen in öffentlichen Verwaltungen für den Umweltschutz.			10
11	Frau Müller glaubt, dass Geografen mit Kenntnissen in Informatik bessere Aussichten haben.			11
12	Laut Prof. Meusburger sind neuerdings auch Ingenieurbüros an Geografen interessiert.			12
13	Prof. Meusburger glaubt, dass ein Geografie-Studium eine gute Basis für das Berufsleben allgemein darstellt.			13
14	Prof. Meusburger empfiehlt Studierenden, Praktika nicht in die Zeit ihrer Diplomarbeit zu legen.			14
15	Frau Waluga hat durch ihr Praktikum eine Arbeitsstelle bekommen.			15
16	Frau Waluga hat außer ihrem Hauptstudienfach auch Botanik studiert.			16
17	Frau Waluga wurde von der Firma Prognis kontaktiert.			17
18	Wer heutzutage im Studium das Pflichtprogramm schafft, erhält auch eine Chance auf dem Arbeitsmarkt.			18

Sie hören einen kurzen Vortrag von Professor Schubert zu neuen Formen der Industriearbeit.
Sie hören diesen Vortrag **zweimal**.

Lesen Sie jetzt die Aufgaben 19–25.

Hören Sie nun den Text ein erstes Mal.
Beantworten Sie beim Hören die Fragen 19–25 in Stichworten.

Neue Formen der Industriearbeit und ihre Folgen

(0)	Was sehen manche Soziologen und Gewerkschaftler bedroht?	(0)	*die traditionelle Solidarität der Arbeiter*
19	Wie wird die Arbeit in der traditionellen Fabrik aufgeteilt?	19	
20	Was ist das Prinzip der neuen Organisation von Arbeitsprozessen?	20	
21	Welche negativen Auswirkungen der neuen Arbeitsorganisation befürchten die Kritiker? **Nennen Sie zwei Punkte.**	21	
22	Welche positiven Auswirkungen kann selbstständige Arbeit haben? **Nennen Sie eine Auswirkung.**	22	
23	Welche Entscheidungen müssen die Arbeiter in ihren Gruppengesprächen selbst treffen?	23	
24	Wie kann man das Verhalten der Arbeiter in einer traditionellen Fabrik gegenüber der Direktion beschreiben?	24	
25	Wie sehen die Beschäftigten, die in der neuen Organisationsform arbeiten, ihre eigene Gruppe im Vergleich zu anderen?	25	

**Ergänzen Sie jetzt Ihre Stichwörter. Sie hören jetzt den Text ein zweites Mal.
Sie haben nun 10 Minuten Zeit, um Ihre Lösungen auf das Antwortblatt zu übertragen.**

Kein Material auf dieser Seite

Sie haben **10 Minuten Zeit**, um Ihre Lösungen auf das Antwortblatt zu übertragen.

Das Etikett rechts aufkleben ➡

Etikett

Lösungen Hörtext 1

1	
2	
3	
4	
5	
6	
7	
8	

Hier bitte *nicht* schreiben

	r	f	nb
1	☐	☐	☐
2	☐	☐	☐
3	☐	☐	☐
4	☐	☐	☐
5	☐	☐	☐
6	☐	☐	☐
7	☐	☐	☐
8	☐	☐	☐

Lösungen Hörtext 2

	Richtig	Falsch
9	☐	☐
10	☐	☐
11	☐	☐
12	☐	☐
13	☐	☐
14	☐	☐
15	☐	☐
16	☐	☐
17	☐	☐
18	☐	☐

Bitte markieren Sie die richtige Antwort mit
einem - **schwarzen oder blauen** - Kugelschreiber!

Markieren Sie so: ☒

NICHT SO: ☒ ☒ ☒ ☑ ⊙

Wenn Sie **korrigieren** möchten, füllen Sie das falsch markierte
Feld ganz aus: ■ und markieren dann das richtige Feld: ☒

 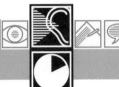
		Hier bitte _nicht_ schreiben		
		r	f	nb
19		19 ☐	☐	☐
20		20 ☐	☐	☐
21		21 ☐	☐	☐
22		22 ☐	☐	☐
23		23 ☐	☐	☐
24		24 ☐	☐	☐
25		25 ☐	☐	☐

MUSTER

Schriftlicher Ausdruck

Musterprüfung 4

Zeit: 60 Minuten
plus 5 Minuten Anleitung

Bitte lesen Sie zuerst diese Anleitung zum Prüfungsteil „Schriftlicher Ausdruck".

Sie sollen einen Text zum Thema „Mehr Frauen in die Ingenieurwissenschaften?" schreiben. Hierbei sollen Sie eine Grafik beschreiben und das Thema sachlich diskutieren.

Achten Sie dabei auf Folgendes:

- Schreiben Sie einen zusammenhängenden Text.

- Der Text soll klar gegliedert sein.

- Bearbeiten Sie alle Punkte der Aufgabenstellung.

- Achten Sie auf die Zeit: Für diesen Prüfungsteil haben Sie 60 Minuten Zeit.

- Beschreibung der Grafik: Nehmen Sie sich maximal 20 Minuten. Geben Sie die wichtigsten Informationen der Grafik wieder.

- Argumentation: Nehmen Sie sich nicht mehr als 40 Minuten. Wichtig ist, dass Sie Ihre Argumente begründen.

- Bei der Bewertung Ihrer Leistung ist die Verständlichkeit des Textes wichtiger als die sprachliche Korrektheit.

Schreiben Sie bitte auf den beigefügten Schreibbogen.

Für Entwürfe oder Notizen können Sie das beigefügte Konzeptpapier verwenden.

Gewertet wird nur der Text auf dem Schreibbogen.

Bitte geben Sie am Ende des Prüfungsteils „Schriftlicher Ausdruck" sowohl Ihren Schreibbogen als auch Ihr Konzeptpapier ab.

Wenn der Prüfer Sie auffordert umzublättern und die Aufgabe anzusehen, dann haben Sie noch 60 Minuten Zeit.

Mehr Frauen in die Ingenieurwissenschaften?

In Deutschland gibt es nicht genug Studierende der Ingenieurwissenschaften und daher auch zu wenige Fachkräfte aus diesem Bereich. Es werden jedoch dringend Fachkräfte gebraucht. Seit ein paar Jahren wird diskutiert, wie man das Problem lösen könnte. Es wird z. B. überlegt, ob man Frauen und Mädchen stärker für den Bereich Technik und Ingenieurwesen interessieren sollte, damit mehr von ihnen in diesem Fachbereich ein Studium aufnehmen.

„Mehr Frauen in die Ingenieurwissenschaften?"

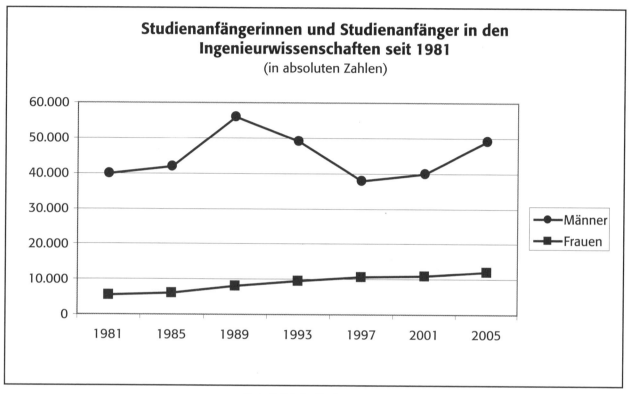

Studienanfängerinnen und Studienanfänger in den Ingenieurwissenschaften seit 1981
(in absoluten Zahlen)

Nach: Statistisches Bundesamt, 2006

- Beschreiben und vergleichen Sie die Entwicklung der Zahlen bei Männern und Frauen seit 1981.

Woran liegt es, dass relativ wenige Frauen und Mädchen Interesse an einem ingenieurwissenschaftlichen Studium zeigen? Hierzu gibt es unterschiedliche Meinungen:

Schon im Elternhaus und in der Schule werden Jungen dazu erzogen, sich für technische Fragen zu interessieren. Also ist es eine Frage der Erziehung. Wenn man Mädchen schon in der Kindheit mehr fördert, dann werden sie sich später auch eher für ein ingenieurwissenschaftliches Studium entscheiden.

Mädchen und Jungen besuchen die gleichen Schulen, haben den gleichen Unterricht. Dass es dennoch wenige Ingenieurinnen gibt, zeigt: Frauen und Mädchen interessieren sich eben allgemein nicht für Technik.

- Geben Sie die Aussagen mit eigenen Worten wieder.
- Nehmen Sie zu den beiden Aussagen Stellung und begründen Sie Ihre Meinung.
- Gehen Sie auch auf die Situation in Ihrem Heimatland ein.

Mündlicher Ausdruck

Musterprüfung 4

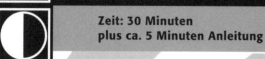

Zeit: 30 Minuten
plus ca. 5 Minuten Anleitung

Im Prüfungsteil „Mündlicher Ausdruck" sollen Sie zeigen, wie gut Sie Deutsch sprechen.

Dieser Teil besteht aus insgesamt sieben Aufgaben, in denen Ihnen unterschiedliche Situationen aus dem Universitäts-leben vorgestellt werden. Sie sollen sich zum Beispiel informieren, Auskunft geben oder Ihre Meinung sagen.

Jede Aufgabe besteht aus zwei Teilen: Im ersten Teil wird die Situation beschrieben, in der Sie sich befinden, und es wird gesagt, was Sie tun sollen. Danach haben Sie Zeit, sich darauf vorzubereiten, was Sie sagen möchten. Im zweiten Teil der Aufgabe spricht „Ihr Gesprächspartner" oder „Ihre Gesprächspartnerin". Bitte hören Sie gut zu und antworten Sie dann.

Zu jeder Aufgabe gibt es zwei Zeitangaben: Es gibt eine „Vorbereitungszeit" und eine „Sprechzeit".

Die „Vorbereitungszeit" gibt Ihnen Zeit zum Nachdenken, z. B. eine halbe Minute, eine ganze Minute, bis zu drei Minuten.

Sie: Vorbereitungszeit

In dieser Zeit können Sie sich in Ihrem Aufgabenheft Notizen machen.

Nach der „Vorbereitungszeit" hören Sie „Ihren Gesprächspartner" oder „Ihre Gesprächspartnerin", danach sollen Sie sprechen. Dafür haben Sie je nach Aufgabe zwischen einer halben Minute und zwei Minuten Zeit.

Sie: Sprechzeit

Es ist wichtig, dass Sie die Aufgabenstellung berücksichtigen und auf das Thema eingehen. Wenn Sie dazu aufgefordert werden, sagen Sie, was Sie zum Thema denken. Bewertet wird nicht, welche Meinung Sie dazu haben, sondern wie Sie Ihre Gedanken formulieren.

Die Angabe der Sprechzeit bedeutet nicht, dass Sie so lange sprechen müssen. Sagen Sie, was Sie sich überlegt haben. Hören Sie ruhig auf, wenn Sie meinen, dass Sie genug gesagt haben. Wenn die vorgesehene Zeit für Ihre Antwort nicht reicht, dann ist das kein Problem. Für die Bewertung Ihrer Antwort ist es nicht wichtig, ob Sie Ihren Satz ganz fertig gesprochen haben. Es ist aber auch nicht notwendig, dass Sie nach dem Signalton sofort aufhören zu sprechen.

Ihre Antworten werden aufgenommen. Bitte sprechen Sie deshalb laut und deutlich.

Vielen Dank.

Sie möchten zu Beginn Ihres Studiums in Deutschland für einige Zeit bei einer deutschen Gastfamilie leben. Sie rufen deshalb im Akademischen Auslandsamt Ihrer deutschen Hochschule an, das ausländische Studierende in Gastfamilien vermittelt.

Stellen Sie sich vor.
Sagen Sie, warum Sie anrufen.
Fragen Sie nach Einzelheiten.

Sie: Vorbereitungszeit

Herr Lüking:

Sie: Sprechzeit

Sie sprechen mit Ihrer Studienkollegin Susanne über die berufliche Zukunft. Dabei interessiert sich Susanne auch für die berufliche Situation von Frauen in Ihrem Heimatland.

Beschreiben Sie,
– welche Berufe in Ihrer Heimat typische Frauenberufe sind und
– wie viel Geld Frauen in diesen Berufen monatlich verdienen können.

Sie: Vorbereitungszeit

Susanne:

Sie: Sprechzeit

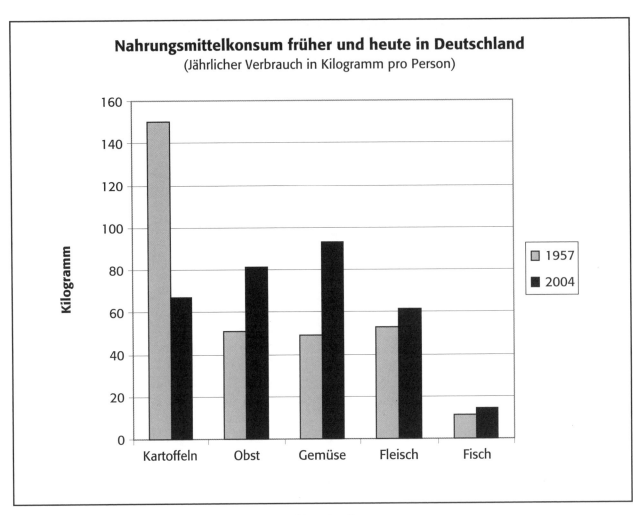

Nahrungsmittelkonsum früher und heute in Deutschland
(Jährlicher Verbrauch in Kilogramm pro Person)

Nach: Globus Infografik 2005

In Ihrem Deutschkurs sprechen Sie über das Thema Essen und Trinken in Deutschland. Frau Stein, Ihre Lehrerin, hat an alle Kursteilnehmer eine Grafik verteilt, die zeigt, wie sich der Nahrungsmittelkonsum entwickelt hat. Frau Stein bittet Sie, diese Grafik zu beschreiben.

**Erklären Sie den anderen Kursteilnehmern zunächst den Aufbau der Grafik.
Fassen Sie dann die Informationen der Grafik zusammen.**

Sie: Vorbereitungszeit

Frau Stein:

Sie: Sprechzeit

Zurzeit wird in Deutschland oft beklagt, dass sich Schüler und Jugendliche schlecht benehmen, also z. B. unhöflich sind. Im Pädagogik-Institut Ihrer Hochschule wird über das Thema Verhalten von Jugendlichen diskutiert. Dabei geht es auch um die Frage, ob das Fach „Benehmen und Verhalten" an deutschen Schulen eingeführt werden soll. Der Diskussionsleiter, Herr Dr. Peters, fragt Sie nach Ihrer Meinung zu einem solchen Schulfach.

Nehmen Sie Stellung zum geplanten Schulfach „Benehmen und Verhalten":
– Diskutieren Sie dabei die Vorteile und Nachteile.
– Begründen Sie Ihre Zustimmung oder Ablehnung.

Sie: Vorbereitungszeit

Herr Dr. Peters:

2 Minuten

Sie: Sprechzeit

Für Ihre Notizen

Ihr Freund Alex hat während seines ganzen Studiums noch kein Praktikum gemacht. Jetzt hat ihm eine große Firma einen Praktikumsplatz in den Semesterferien angeboten. Alex braucht aber in den Ferien Zeit, um sich auf seine Abschlussprüfung vorzubereiten. Alex ist sich nicht sicher, für was er sich entscheiden soll: für das Praktikum oder die intensive Vorbereitung. Er fragt Sie nach Ihrer Meinung.

Sagen Sie Alex, was Sie an seiner Stelle tun würden:
– Wägen Sie dabei Vorteile und Nachteile der beiden Möglichkeiten ab.
– Begründen Sie Ihren Rat.

Sie: Vorbereitungszeit

Alex:

Sie: Sprechzeit

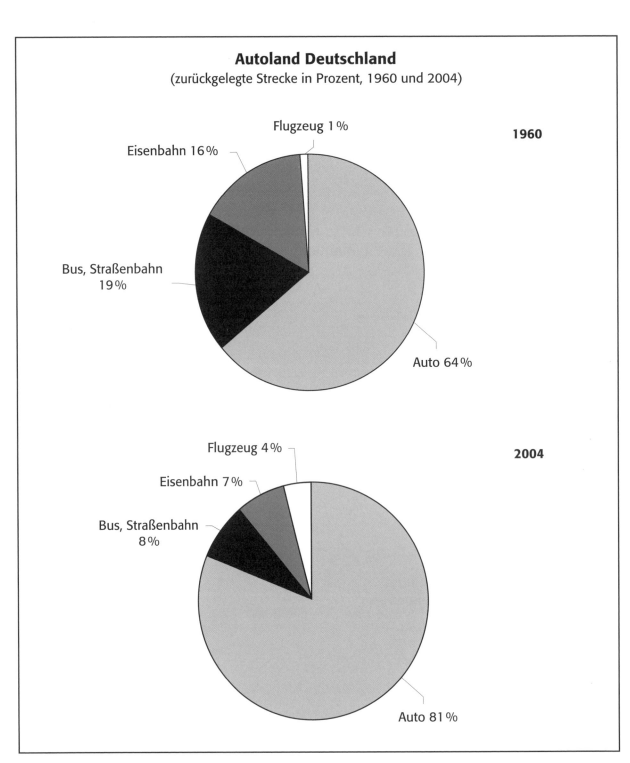

Autoland Deutschland
(zurückgelegte Strecke in Prozent, 1960 und 2004)

1960

Flugzeug 1%

Eisenbahn 16%

Bus, Straßenbahn
19%

Auto 64%

2004

Flugzeug 4%

Eisenbahn 7%

Bus, Straßenbahn
8%

Auto 81%

Nach: Deutsches Institut für Wirtschaftsforschung DIW Berlin, 2006

In Ihrem ingenieurwissenschaftlichen Seminar geht es heute um das Thema Verkehrsmittelnutzung in Deutschland. Ihre Seminarleiterin, Frau Dr. Seipel, hat dazu eine Grafik ausgeteilt, die zeigt, welche Verkehrsmittel die Deutschen benutzen. Frau Dr. Seipel bittet Sie, Ihre Überlegungen zu Gründen für diese Verkehrsmittelnutzung und zu weiteren Entwicklungstendenzen vorzutragen.

Nennen Sie Gründe für die dargestellte Entwicklung.
Stellen Sie dar, welche weitere Entwicklung der Verkehrsmittelnutzung Sie für die Zukunft erwarten und nennen Sie mögliche Auswirkungen.
Verwenden Sie dabei die Informationen der Grafik.

Sie: Vorbereitungszeit

Frau Dr. Seipel:

Sie: Sprechzeit

Ihr Freund Paul möchte ein Auto kaufen. Ein Auto ist allerdings teuer. Deshalb überlegt er, sich mit einem anderen Studenten ein Auto zu teilen, um die Kosten zu reduzieren. Paul fragt Sie, was Sie von dieser Möglichkeit halten.

Sagen Sie Paul, was Sie an seiner Stelle tun würden.
Begründen Sie Ihre Meinung.

Sie: Vorbereitungszeit

Paul:

Sie: Sprechzeit

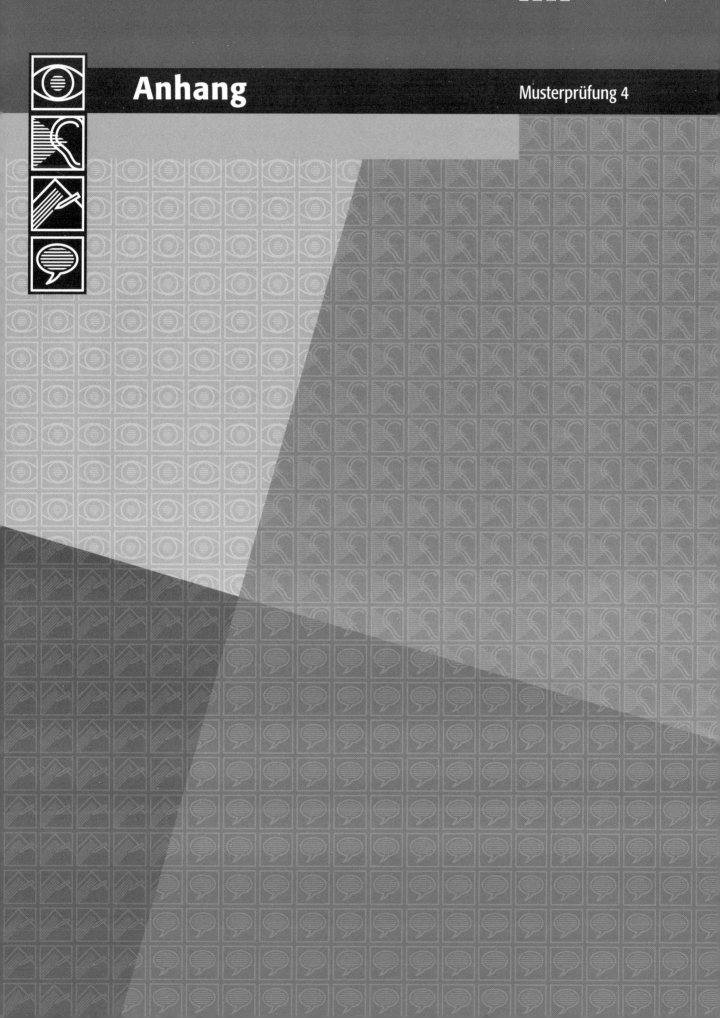

TestDaF
Test Deutsch als Fremdsprache

Lösungen Lesetext 1 (S. 12/13)

	B	C	D	E	F	G	H	I
1		☒						
2				☒				
3								☒
4					☒			
5							☒	
6						☒		
7								☒
8								☒
9	☒							
10			☒					

Lösungen Lesetext 2 (S. 14/15)

	A	B	C
11	☒		
12			☒
13		☒	
14			☒
15			☒
16	☒		
17		☒	
18		☒	
19		☒	
20		☒	

Lösungen Lesetext 3 (S. 16/17)

	Ja	Nein	Text sagt dazu nichts
21			☒
22	☒		
23			☒
24	☒		
25		☒	
26			☒
27	☒		
28		☒	
29	☒		
30		☒	

Lösungen Hörtext 1 (S. 25)

Hier bitte *nicht* schreiben

1	einige Firmen / Firmen in München (die mit Fachhochschulen zusammenarbeiten) / Firmen, die mit FH zusammenarbeiten
2	Erfahrung (im Berufsalltag) sammeln / Erfahrung im Berufsalltag / sie bekommt Erfahrungen in dem Beruf / beim richtigen Projekt mitarbeiten
3	persönlicher Ansprechpartner / Dozenten der Fachhochschule / Dozenten der FH
4	(2 Jahre) im Unternehmen arbeiten / (2 Jahre) in Firma arbeiten / 2 Jahre lang arbeiten
5	gute Noten / müssen gute Zensuren haben / teamfähig sein / Fähigkeit, im Team zu arbeiten
6	Professor (an Fachhochschule / FH)
7	5–10 % (der Bewerber) / 5 bis 10
8	zweieinhalb Jahre / 2,5 Jahre / 2 Jahre und ein halbes Jahr

	r	f	nb
1	☐	☐	☐
2	☐	☐	☐
3	☐	☐	☐
4	☐	☐	☐
5	☐	☐	☐
6	☐	☐	☐
7	☐	☐	☐
8	☐	☐	☐

Lösungen Hörtext 2 (S. 27)

	Richtig	Falsch
9	☐	☒
10	☐	☒
11	☒	☐
12	☒	☐
13	☒	☐
14	☐	☒
15	☒	☐
16	☒	☐
17	☐	☒
18	☐	☒

Bitte markieren Sie die <u>richtige</u> Antwort mit einem – **schwarzen oder blauen** – Kugelschreiber!

Markieren Sie so: ☒

NICHT SO: ⊠ ☒ ☒ ☑ ⊡

Wenn Sie **korrigieren** möchten, füllen Sie das falsch markierte Feld ganz aus: ■ und markieren dann das richtige Feld: ☒

Lösungen Hörtext 3 (S. 29)	Hier bitte _nicht_ schreiben

		r	f	nb
19	*(in) Kopfarbeit und Handarbeit / die einen sollen denken, die anderen ausführen / die einen Menschen arbeiten mit Kopf, die anderen mit Händen*	19 ☐	☐	☐
20	*eigenverantwortliche und selbstständige Arbeit (in Gruppen) / (Gruppen, die ihre) Arbeit selbst organisieren*	20 ☐	☐	☐
21	**2 Punkte nennen von:** **a)** stärkere Konkurrenz **b)** gegenseitige Kontrolle **c)** Ansporn zur Mehrarbeit **d)** größere Abhängigkeit von Betriebsinteressen **e)** eigene Ausbeutung **f)** opfern Privatsphäre und Freizeit	21 ☐	☐	☐
22	**eine Auswirkung nennen von:** **a)** fordert u. fördert die Beschäftigten intellektuell **b)** bringt Fachqualifikation stärker zur Geltung **c)** Verhalten, das an Solidarität u. Verständnis für andere orientiert ist **d)** keine Konkurrenz	22 ☐	☐	☐
23	*Aufteilung der Arbeit / Arbeitszeiten (Wochenend- u. Nachtarbeit) / Organisation der Arbeit* **oder eine konkrete Frage aus dem Text:** **a)** Wer macht die Nachtarbeit? **b)** Wer macht die unangenehme Arbeit? **c)** Wer verzichtet auf das Wochenende?	23 ☐ 24 ☐	☐ ☐	☐ ☐
24	*gemeinsame Reaktion / (Durchsetzen) gemeinsamer Interessen / solidarisches Verhalten*	25 ☐	☐	☐
25	*in allen Gruppen vergleichbare Interessen und Konflikte / alle sind in derselben Lage / sie stellt keine Besonderheit dar*			

Erläuterung:

„/" Antworten sind alternativ möglich.

„( )" nicht notwendige Angabe.

r = richtig,   f = falsch,   nb = nicht beantwortet

Es werden auch Lösungen zugelassen, die sinngemäß stimmen.

Grammatikalische Korrektheit wird nur berücksichtigt, wenn das Verständnis erheblich beeinträchtigt oder unmöglich ist.

Texte zum Hörverstehen: Hörtext 1 „Das Stipendium"

Länge: ca. 2:30 Minuten

Klaus:
Sag mal Kerstin, du bekommst doch ein Stipendium. Was für ein Stipendium ist das eigentlich?

Kerstin:
Das ist ein Stipendium für Informatikstudenten an der Fachhochschule München. Die Gelder dafür kommen von einigen Firmen in München, die mit der Fachhochschule zusammenarbeiten.

Klaus:
Und wie viel Geld bekommt man im Monat?

Kerstin:
Also durchschnittlich zahlen die Unternehmen 1000 € monatlich.

Klaus:
Das ist ja nicht schlecht. Musst du das Geld denn nach dem Studium zurückzahlen?

Kerstin:
Nee Klaus, zurückzahlen muss ich nichts, aber ich muss immer in den Semesterferien ein Praktikum in der Firma machen, die mich finanziert. Aber gerade das finde ich so gut, dass ich Erfahrungen im Berufsalltag sammeln kann. Außerdem kann ich so schon während des Studiums bei einem richtigen Projekt mitarbeiten.

Klaus:
Klingt interessant, aber das stelle ich mir gar nicht so einfach vor.

Kerstin:
Na ja. Zu Anfang wird es bestimmt nicht einfach. Deswegen gibt es in den Unternehmen eine gute Betreuung der Stipendiaten im Praktikum. Jeder Student hat einen persönlichen Ansprechpartner, mit dem er alle Probleme besprechen kann. Und auch die Dozenten der Fachhochschule kann man immer fragen.

Klaus:
Was muss man denn sonst noch für das Stipendium tun?

Kerstin:
Man soll nach dem Studium zwei Jahre lang bei dem Unternehmen arbeiten, von dem man das Stipendium erhalten hat. Ich muss also jetzt schon sagen, wo ich nach dem Studium arbeiten werde.

Klaus:
Das habe ich ja noch nie gehört. Kann denn jeder Informatikstudent an der Fachhochschule so ein Stipendium bekommen?

Kerstin:
Im Prinzip schon, aber gute Noten sind natürlich wichtig. Außerdem achten die Unternehmen auch darauf, dass man gut mit anderen zusammenarbeiten kann, also teamfähig ist.

Klaus:

Und wie läuft das dann ab? Was hast du konkret dafür gemacht?

Kerstin:

Zuerst habe ich mit meinem Professor an der Fachhochschule gesprochen. Er hat mir bei der Bewerbung geholfen. Danach hatte ich ein Vorstellungsgespräch bei meiner Firma.

Klaus:

Wie groß ist denn die Chance, so ein Stipendium zu bekommen?

Kerstin:

Tja, zurzeit gibt es in München etwas mehr als 60 solcher Stipendien. Von den Studenten, die sich jedes Jahr bewerben, bekommen aber nur etwa 5–10 % ein Stipendium.

Klaus:

Da hast du aber ganz schön Glück gehabt! Kannst du denn so lange studieren wie du willst oder gibt es auch eine Begrenzung der Studienzeit?

Kerstin:

Also, das Stipendium ist für zweieinhalb Jahre, wenn ich dann mit dem Studium nicht fertig bin, muss ich mich selber finanzieren, dann gibt's kein Geld mehr. Aber ich denke, das kann ich schaffen.

Texte zum Hörverstehen:

Hörtext 2 „Geografie-Studium und dann?"

Länge: ca. 4:50 Minuten
Nach: UNI-Magazin, Bundesanstalt für Arbeit, Nürnberg 5/2002

Sprecher:
Die Arbeitsmarktsituation hat sich für Geografen sehr verändert: zwar nehmen die Stellenangebote in den traditionellen Berufsfeldern der Geografen ab, doch viele Geografen haben in den letzten zehn Jahren neue Aufgabenbereiche gefunden. Diese Stellen werden allerdings selten nur für Geografen ausgeschrieben, sondern stehen auch Bewerbern aus anderen Fachrichtungen offen. Wir haben heute eine Vertreterin der Bundesanstalt für Arbeit zu Gast. Frau Müller, was können Sie uns dazu sagen?

Frau Müller:
Ich kann das bestätigen. Die klassischen Tätigkeitsfelder für Geografen spielen kaum noch eine Rolle. Dazu gehören unter anderem die Schulbuchverlage. Dort besteht derzeit kaum noch Bedarf an Geografen. Ein weiteres traditionelles Betätigungsfeld für Geografen war früher der öffentliche Dienst. Viele Absolventen der Geografie sind in den Schuldienst gegangen, doch durch Sparmaßnahmen gibt es auch hier im Moment keine neuen Angebote. Auch in anderen Bereichen des öffentlichen Dienstes hat man derzeit keinen Bedarf. In der Landesanstalt für Umweltschutz in Baden-Württemberg beispielsweise arbeiten zurzeit nur zwei oder drei Geografen.

Sprecher:
Und wie sehen Sie die Perspektiven für Studienabgänger der Geografie?

Frau Müller:
Die Chancen für Berufseinsteiger hängen meist von der Fächerkombination ab, insbesondere von den Kenntnissen in EDV und Geoinformatik. Die Nachfrage nach Geografen mit Qualifikationen in Geoinformatik (z. B. Computerkarto-grafie) ist in vielen Regionen größer als die Zahl der Absolventen. Geoinformatik wird in den Bereichen benötigt, die mit ortsbezogenen Daten arbeiten oder z. B. mit Standortplanung und Logistikproblemen zu tun haben.

Sprecher:
Wir haben heute noch einen Gast im Studio, Prof. Meusburger vom Geographischen Institut der Universität Heidelberg. Herr Meusburger, welche neuen Tätigkeitsbereiche gibt es denn Ihrer Meinung nach für Geografen?

Professor Meusburger:
Interesse an Geografen zeigt sich zum Beispiel bei Ingenieur- und Planungsbüros sowie im Städtebau und Verkehrswesen. Dort können Geografen Aufträge für die Erarbeitung von Stellungnahmen oder Gutachten erhalten. Die Immobilienbranche suchte in den letzten Jahren Geografen für Marktanalysen und Trendforschungen. Gelegent-lich kamen auch Angebote von Bibliotheken, Fremdenverkehrsämtern und Einrichtungen für Erwachsenenbildung.

Sprecher:
Wie können sich denn nun junge Studierende schon in ihrem Studium auf die Anforderungen des Arbeitsmarkts vorbereiten, Herr Meusburger?

Professor Meusburger:
Geografen sind aufgrund der interdisziplinären Inhalte ihres Studiums im Prinzip für Berufe aus verschiedensten Bereichen gut vorbereitet. Hilfreich ist aber zusätzlich die Mitarbeit als studentische Hilfskraft bei Projekten. Dabei

kann man sich frühzeitig verschiedene Labor- und EDV-Techniken aneignen sowie Methoden der empirischen Sozialforschung. Auch das selbstständige Lösen von Problemen und Projektorganisation kann man so lernen. Auf diese Weise bekommt man wesentlich mehr Qualifikationen vermittelt als im normalen Studium. Auch Praktika sind wichtig, am besten solche, während der man die Diplomarbeit schreiben kann.

Sprecher:
Ja, zu den Praktika möchte ich gern unserem dritten Gast eine Frage stellen. Frau Waluga, Sie haben als Geografie-studentin ein Praktikum bei ihrem heutigen Arbeitgeber absolviert und so Ihre Stelle gefunden. Können Sie uns sagen, wie es dazu kam?

Frau Waluga:
Ich habe Glück gehabt. Aber man kann auch sagen, dass meine vielen Interessen mir gute Chancen eröffnet haben. Ich habe z. B. neben Geografie auch Botanik und Bodenkunde studiert und auch an Seminaren aus der Ökologie und dem Städtebau teilgenommen. Im Hauptstudium war ich zwei Jahre lang Hilfskraft in der Umweltabteilung eines Kölner Ingenieurbüros. Meine Diplomarbeit habe ich über ein Thema aus dem Tourismusbereich geschrieben. Als in dieser Zeit von dem Beraterunternehmen Prognis ein Seminar über Tourismus organisiert wurde, habe ich den Kontakt zu der Firma gesucht und mich um eine Praktikumsstelle beworben. Ich wurde angenommen und habe nach einem halben Jahr Praktikumszeit sogar eine feste Arbeitsstelle bekommen.

Sprecher:
Ja, ein bisschen Glück gehört immer dazu, aber ich glaube man kann auch sagen, Studierende sollten ihr Studium nicht zu „eng" planen. Wer nur das Notwendigste macht, wird beim Wettbewerb auf dem Arbeitsmarkt wenig Chancen haben.

Texte zum Hörverstehen: Hörtext 3 „Neue Formen der Industriearbeit und ihre Folgen"

Länge: ca. 5 Minuten
Nach: SWR2 Aula, 1. Mai 2001, Prof. Michael Schumann „Ausgrenzung statt Solidarität? Neue Formen der Industriearbeit und ihre Folgen."

Professor Schubert:

Verschwindet in der Fabrik von heute die traditionelle Solidarität der Industriearbeiter? Wird sie durch ein Bewusstsein abgelöst, wo jeder sich nur noch als Einzelner und nicht als Kollege sieht? Diese Frage wird in der Soziologie und in den Gewerkschaften seit Langem kontrovers diskutiert.

Eine wichtige Rolle spielt dabei, dass sich die Organisation der Arbeit in den Firmen verändert hat. Die alte, traditionelle Organisationsform ist gekennzeichnet durch eine möglichst weitgehende Arbeitsteilung. Das heißt, die einen machen die Kopfarbeit, sollen also denken und Anweisungen geben, die anderen machen die Handarbeit und sollen vor allem ausführen, was die einen gedacht haben. Diese hochgradige Arbeitsteilung führte bei den Arbeitskräften zu sinkender Qualifikation und wachsender Unselbstständigkeit. Daraus kann Unzufriedenheit entstehen, vor allem bei den Arbeitskräften, denen jeder Arbeitsschritt vorgeschrieben wird.

Seit einiger Zeit wird in den Unternehmen dagegen eine neue, innovative Organisationsform verwendet, in der die Arbeitskräfte eigenverantwortlich und selbstständig arbeiten sollen. Für bestimmte Aufgaben in der Produktion ist jeweils eine Gruppe verantwortlich, die ihre Arbeit entsprechend den Zielen des Unternehmens selbst organisieren muss.

Die Wirkung der neuen Arbeitsweise auf das Bewusstsein der Arbeiter wird nun kontrovers diskutiert. Den Kritikern zufolge würden die Beschäftigten stärker miteinander konkurrieren, sich selbst und die Kollegen dauernd kontrollieren und zur Mehrarbeit anspornen, um das vorgegebene Ziel zu erreichen. Dadurch würden sie zu ihrer eigenen Ausbeutung beitragen. Die neue Arbeitsform führt also in eine noch größere Abhängigkeit der Arbeitskräfte von den Interessen des Betriebs. Daher stellt sich die Frage: Zwingt nicht die selbstverantwortliche Erfüllung von Unternehmenszielen die Arbeitnehmer dazu, ihr gesamtes Wissen und Können, ihre Freizeit und vielleicht sogar ihre Privatsphäre der Firma zu opfern?

Andererseits muss man dagegenhalten, dass selbstständiges Arbeiten die Beschäftigten intellektuell fordert und fördert und ihre Fachqualifikation viel stärker zur Geltung bringt. Und das kann nicht falsch sein. Wir wissen aus unseren Befragungen, dass die Beschäftigten das ebenso positiv beurteilen – und die Befragungsergebnisse zeigen auch noch etwas anderes: Wenn die neuen Arbeitsformen im Betrieb richtig umgesetzt worden sind, wird nicht die Konkurrenz unter den Kollegen gefördert, sondern eher ein Verhalten, dass an Solidarität und Verständnis für andere orientiert ist.

Wenn sich die Arbeitskräfte heute selbst organisieren – also gewählte Sprecher und feste Zeiten für Gruppengespräche haben – dann entstehen zusätzliche, neue Formen der Solidarität. Was vorher von der Firma oder vom Meister diktiert wurde, muss jetzt selbst entschieden werden, also z. B. Fragen wie:

- Wer macht die unangenehme Arbeit?
- Wer verzichtet auf das Wochenende?
- Wer wechselt vorübergehend in die Nachtarbeit?

Uns erstaunt bei unseren Untersuchungen, wie sehr es in der Gruppe möglich ist, Interessen der Kolleginnen und Kollegen zu berücksichtigen und auszugleichen. Die Gruppenmitglieder erleben, dass sie sich gegenseitig unterstüt-

zen und miteinander kooperativ und solidarisch umgehen, und das alles als zentrales Prinzip ihrer neuen Arbeitsform, die auch für betriebliche Interessen nützlich ist.

Auch die Einstellung der Arbeitnehmer zur Unternehmensleitung wird von den Veränderungen beeinflusst. In der traditionellen Fabrik führte die Verletzung von Interessen einzelner Arbeiter typischerweise zu einer gemeinsamen Reaktion aller. Die vorherrschende Haltung war: Wir haben gemeinsame Interessen; als einzelne sind wir schwach, nur gemeinsam sind wir stark genug, sie durchzusetzen.

Mit der neuen Organisation der Arbeit ist diese traditionelle Haltung nicht völlig verschwunden. Viele Beschäftigte, mit denen wir gesprochen haben, betonen, dass die eigene Gruppe mit ihren Interessen und Konflikten keine Besonderheit darstelle und bei den anderen Gruppen vergleichbare Situationen existieren. Gegenüber dem Betrieb sieht man sich also mehr oder weniger in derselben Lage. Das heißt, dass Forderungen der Belegschaft nach wie vor einheitlich sein können.

Mündlicher Ausdruck

Musterprüfung 4

Zeit: 30 Minuten

Masterbandmanuskript

TestDaF, Musterprüfung 4, Prüfungsteil „Mündlicher Ausdruck".

(2 Sek.)

Bevor wir mit der Prüfung beginnen, überprüfen Sie bitte Folgendes:

Ist Ihr Aufnahmegerät bereit?

(5 Sek.)

Funktioniert das Mikrofon?

(5 Sek.)

Wenn es Schwierigkeiten gibt, bitte melden Sie sich!

(8 Sek.)

Bitte drücken Sie nun die Aufnahmetaste Ihres Kassettenrekorders (wenn dies nicht automatisch geschieht) oder starten Sie die Aufnahme per Mausklick auf Ihrem Computerbildschirm.

(2 Sek.)

Wenn es Schwierigkeiten gibt, bitte melden Sie sich!

(5 Sek.)

Bevor wir mit der Prüfung beginnen, benötige ich allgemeine Informationen von Ihnen.

(2 Sek.)

Sie hören nun einen Signalton (SIGNALTON). Bitte nennen Sie nach dem Signalton Ihre Teilnehmernummer.

(Signalton – 8 Sek.)

Nach dem nächsten Signalton nennen Sie bitte das heutige Datum.

(Signalton – 5 Sek.)

Danke. Bitte nehmen Sie nun das Aufgabenheft zur Hand und lesen Sie die allgemeinen Anweisungen auf Seite 3. Ich lese sie Ihnen vor.

(5 Sek.)

Im Prüfungsteil „Mündlicher Ausdruck" sollen Sie zeigen, wie gut Sie Deutsch sprechen.

Dieser Teil besteht aus insgesamt 7 Aufgaben, in denen Ihnen unterschiedliche Situationen aus dem Universitäts-
leben vorgestellt werden. Sie sollen sich zum Beispiel informieren, Auskunft geben oder Ihre Meinung sagen.

Jede Aufgabe besteht aus zwei Teilen: Im ersten Teil wird die Situation beschrieben, in der Sie sich befinden, und
es wird gesagt, was Sie tun sollen. Danach haben Sie Zeit, sich darauf vorzubereiten, was Sie sagen möchten. Im
zweiten Teil der Aufgabe spricht „Ihr Gesprächspartner" oder „Ihre Gesprächspartnerin". Bitte hören Sie gut zu und
antworten Sie dann.

Zu jeder Aufgabe gibt es zwei Zeitangaben: Es gibt eine „Vorbereitungszeit" und eine „Sprechzeit".

Die „Vorbereitungszeit" gibt Ihnen Zeit zum Nachdenken, z. B. eine halbe Minute, eine ganze Minute, bis zu drei
Minuten. In dieser Zeit können Sie sich in Ihrem Aufgabenheft Notizen machen.

Nach der „Vorbereitungszeit" hören Sie „Ihren Gesprächspartner" oder „Ihre Gesprächspartnerin", danach sollen
Sie sprechen. Dafür haben Sie je nach Aufgabe zwischen einer halben Minute und zwei Minuten Zeit.

Es ist wichtig, dass Sie die Aufgabenstellung berücksichtigen und auf das Thema eingehen. Wenn Sie dazu
aufgefordert werden, sagen Sie, was Sie zum Thema denken. Bewertet wird nicht, welche Meinung Sie dazu haben,
sondern wie Sie Ihre Gedanken formulieren.

Die Angabe der Sprechzeit bedeutet nicht, dass Sie so lange sprechen müssen. Sagen Sie, was Sie sich überlegt
haben. Hören Sie ruhig auf, wenn Sie meinen, dass Sie genug gesagt haben. Wenn die vorgesehene Zeit für Ihre
Antwort nicht reicht, dann ist das kein Problem. Für die Bewertung Ihrer Antwort ist es nicht wichtig, ob Sie Ihren
Satz ganz fertig gesprochen haben. Es ist aber auch nicht notwendig, dass Sie nach dem Signalton sofort aufhören
zu sprechen.

Ihre Antworten werden aufgenommen. Bitte sprechen Sie deshalb laut und deutlich.

Vielen Dank.

(2 Sek.)

Wir beginnen nun mit dem Prüfungsteil „Mündlicher Ausdruck". Bitte schlagen Sie die Seite 5 des Aufgabenheftes auf.

(2 Sek.)

In der ersten Aufgabe sollen Sie Informationen erfragen. Ich lese Ihnen die Aufgabe vor, Sie lesen sie bitte mit. Danach haben Sie eine halbe Minute Zeit zum Überlegen. Anschließend hören Sie „Ihren Gesprächspartner" bzw. „Ihre Gesprächspartnerin". Dann sprechen Sie. Bei dieser Aufgabe haben Sie eine halbe Minute Zeit zum Sprechen. Ein Signalton (SIGNALTON) zeigt Ihnen an, dass Sie noch fünf Sekunden Antwortzeit haben. Sprechen Sie dann in Ruhe Ihren Satz zu Ende. Danach folgt dann die nächste Aufgabe.

(2 Sek.)

Aufgabe 1

(2 Sek.)

Sie möchten zu Beginn Ihres Studiums in Deutschland für einige Zeit bei einer deutschen Gastfamilie leben. Sie rufen deshalb im Akademischen Auslandsamt Ihrer deutschen Hochschule an, das ausländische Studierende in Gastfamilien vermittelt.

Stellen Sie sich vor.
Sagen Sie, warum Sie anrufen.
Fragen Sie nach Einzelheiten.

(30 Sek. PAUSE)

Männliche Stimme:

Guten Tag, mein Name ist Lüking. Was kann ich für Sie tun?

(25 Sek. PAUSE – SIGNALTON – 5 Sek. PAUSE)

Bitte schlagen Sie die Seite 7 auf. Wir kommen nun zu Aufgabe 2. In dieser Aufgabe sollen Sie über Ihr Heimatland berichten.

(2 Sek.)

Bitte lesen Sie die Aufgabe 2. Ich lese sie Ihnen vor. Für diese Aufgabe haben Sie eine Minute Zeit zum Überlegen und eine Minute Zeit zum Sprechen.

(2 Sek.)

Aufgabe 2

(2 Sek.)

Sie sprechen mit Ihrer Studienkollegin Susanne über die berufliche Zukunft. Dabei interessiert sich Susanne auch für die berufliche Situation von Frauen in Ihrem Heimatland.

Beschreiben Sie,
– welche Berufe in Ihrer Heimat typische Frauenberufe sind und
– wie viel Geld Frauen in diesen Berufen monatlich verdienen können.

(1 Min. PAUSE)

Weibliche Stimme:

Wie sieht eigentlich die berufliche Situation von Frauen in deinem Land aus?

(55 Sek. PAUSE – SIGNALTON – 5 Sek. PAUSE)

Schlagen Sie nun die Seiten 8 und 9 auf. Wir kommen nun zu einer Aufgabe, in der Sie eine Grafik beschreiben sollen. Sie finden die Aufgabe 3 auf der rechten Seite, links sehen Sie die Abbildung.

(2 Sek.)

Bitte lesen Sie die Aufgabe 3. Ich lese sie Ihnen vor. Für diese Aufgabe haben Sie eine Minute Zeit zum Überlegen und eine Minute und eine halbe Zeit zum Sprechen.

(2 Sek.)

Aufgabe 3

(2 Sek.)

In Ihrem Deutschkurs sprechen Sie über das Thema Essen und Trinken in Deutschland. Frau Stein, Ihre Lehrerin, hat an alle Kursteilnehmer eine Grafik verteilt, die zeigt, wie sich der Nahrungsmittelkonsum entwickelt hat. Frau Stein bittet Sie, diese Grafik zu beschreiben.

Erklären Sie den anderen Kursteilnehmern zunächst den Aufbau der Grafik.
Fassen Sie dann die Informationen der Grafik zusammen.

(1 Min. PAUSE)

Weibliche Stimme:

Beschreiben Sie uns doch bitte die vorliegende Grafik!

(1 Min. 25 Sek. PAUSE – SIGNALTON – 5 Sek. PAUSE)

Schlagen Sie nun die Seite 11 auf. Wir kommen nun zu einer Aufgabe, in der Sie Stellung nehmen sollen.

(2 Sek.)

Bitte lesen Sie die Aufgabe 4. Ich lese sie Ihnen vor. Bei dieser Aufgabe haben Sie drei Minuten Zeit zum Überlegen und zwei Minuten Zeit zum Sprechen.

(2 Sek.)

Aufgabe 4

(2 Sek.)

Zurzeit wird in Deutschland oft beklagt, dass sich Schüler und Jugendliche schlecht benehmen, also z. B. unhöflich sind. Im Pädagogik-Institut Ihrer Hochschule wird über das Thema Verhalten von Jugendlichen diskutiert. Dabei geht es auch um die Frage, ob das Fach „Benehmen und Verhalten" an deutschen Schulen eingeführt werden soll. Der Diskussionsleiter, Herr Dr. Peters, fragt Sie nach Ihrer Meinung zu einem solchen Schulfach.

Nehmen Sie Stellung zum geplanten Schulfach „Benehmen und Verhalten":
– Diskutieren Sie dabei die Vorteile und Nachteile.
– Begründen Sie Ihre Zustimmung oder Ablehnung.

(3 Min. PAUSE)

Männliche Stimme:

Was ist denn Ihre Meinung zu der Einführung eines solchen Unterrichtsfaches?

(1 Min. 55 Sek. PAUSE – SIGNALTON – 5 Sek. PAUSE)

Schlagen Sie nun die Seite 13 auf. In der Aufgabe 5 sollen Sie eine von zwei Alternativen auswählen und sagen, warum Sie diese wählen.

(2 Sek.)

Bitte lesen Sie die Aufgabe 5. Ich lese sie Ihnen vor. Für diese Aufgabe haben Sie zwei Minuten Zeit zum Überlegen und eine Minute und eine halbe Zeit zum Sprechen.

(2 Sek.)

Aufgabe 5

(2 Sek.)

Ihr Freund Alex hat während seines ganzen Studiums noch kein Praktikum gemacht. Jetzt hat ihm eine große Firma einen Praktikumsplatz in den Semesterferien angeboten. Alex braucht aber in den Ferien Zeit, um sich auf seine Abschlussprüfung vorzubereiten. Alex ist sich nicht sicher, für was er sich entscheiden soll: für das Praktikum oder die intensive Vorbereitung. Er fragt Sie nach Ihrer Meinung.

Sagen Sie Alex, was Sie an seiner Stelle tun würden:
– Wägen Sie dabei Vorteile und Nachteile der beiden Möglichkeiten ab.
– Begründen Sie Ihren Rat.

(2 Min. PAUSE)

Männliche Stimme:

Sag mal, soll ich noch ein Praktikum machen oder mich intensiv auf die Prüfung vorbereiten?

(1 Min. 25 Sek. PAUSE – SIGNALTON – 5 Sek. PAUSE)

Schlagen Sie nun die Seite 15 auf. Wir kommen nun zu einer Aufgabe, in der Sie ein Thema diskutieren sollen. Dabei sollen Sie die Daten einer Grafik verwenden. Sie finden die Aufgabe 6 auf der rechten Seite, links sehen Sie die Abbildung.

(2 Sek.)

Bitte lesen Sie die Aufgabe 6. Ich lese sie Ihnen vor. Für diese Aufgabe haben Sie drei Minuten Zeit zum Überlegen und zwei Minuten Zeit zum Sprechen.

(2 Sek.)

Aufgabe 6

(2 Sek.)

In Ihrem ingenieurwissenschaftlichen Seminar geht es heute um das Thema Verkehrsmittelnutzung in Deutschland. Ihre Seminarleiterin, Frau Dr. Seipel, hat dazu eine Grafik ausgeteilt, die zeigt, welche Verkehrsmittel die Deutschen benutzen. Frau Dr. Seipel bittet Sie, Ihre Überlegungen zu Gründen für diese Verkehrsmittelnutzung und zu weiteren Entwicklungstendenzen vorzutragen.

Nennen Sie Gründe für die dargestellte Entwicklung.
Stellen Sie dar, welche weitere Entwicklung der Verkehrsmittelnutzung Sie für die Zukunft erwarten und nennen Sie mögliche Auswirkungen.
Verwenden Sie dabei die Informationen der Grafik.

(3 Min. PAUSE)

Weibliche Stimme:

Würden Sie uns bitte Ihre Überlegungen vortragen?

(1 Min. 55 Sek. PAUSE – SIGNALTON – 5 Sek. PAUSE)

Schlagen Sie nun die Seite 17 auf. In der Aufgabe 7 sollen Sie zu einem Vorschlag Ihre Meinung sagen.

(2 Sek.)

Bitte lesen Sie die Aufgabe 7. Ich lese sie Ihnen vor. Bei dieser Aufgabe haben Sie eine Minute und eine halbe Zeit zum Überlegen und eine Minute und eine halbe Zeit zum Sprechen.

(2 Sek.)

Aufgabe 7

(2 Sek.)

Ihr Freund Paul möchte ein Auto kaufen. Ein Auto ist allerdings teuer. Deshalb überlegt er, sich mit einem anderen Studenten ein Auto zu teilen, um die Kosten zu reduzieren. Paul fragt Sie, was Sie von dieser Möglichkeit halten.

Sagen Sie Paul, was Sie an seiner Stelle tun würden.
Begründen Sie Ihre Meinung.

(1 Min. 30 Sek. PAUSE)

Männliche Stimme:

Sag mal, was hältst du davon, ein Auto mit einer anderen Person zu kaufen und zu teilen?

(1 Min. 25 Sek. PAUSE – SIGNALTON – 5 Sek. PAUSE)

Dies war die letzte Aufgabe. Vielen Dank.

(2 Sek.)

Ende des Prüfungsteils „Mündlicher Ausdruck".

Aufgabe	Stimulus
1. Aufgabe	**Herr Lüking:** *Guten Tag, mein Name ist Lüking. Was kann ich für Sie tun?*
2. Aufgabe	**Susanne:** *Wie sieht eigentlich die berufliche Situation von Frauen in deinem Land aus?*
3. Aufgabe	**Frau Stein:** *Beschreiben Sie uns doch bitte die vorliegende Grafik!*
4. Aufgabe	**Herr Dr. Peters:** *Was ist denn Ihre Meinung zu der Einführung eines solchen Unterrichtsfaches?*
5. Aufgabe	**Alex:** *Sag mal, soll ich noch ein Praktikum machen oder mich intensiv auf die Prüfung vorbereiten?*
6. Aufgabe	**Frau Dr. Seipel:** *Würden Sie uns bitte Ihre Überlegungen vortragen?*
7. Aufgabe	**Paul:** *Sag mal, was hältst du davon, ein Auto mit einer anderen Person zu kaufen und zu teilen?*

Musterprüfung 4

Kein Material auf dieser Seite